CHRISTIANE ROCHEFORT

LES PETITS ENFANTS
DU SIECLE

Le vocabulaire de ce livre est fondé sur
Börje Schlyter: Centrala Ordförrådet i Franskan
Günter Nickolaus: Grund- und Aufbauwortschatz Französisch
Georges Gougenheim: Dictionnaire Fondamental
de la Langue Française

REDACTEUR
Ellis Cruse *Danemark*

CONSEILLERS
Monica Rundström *Suède*
Ragnhild Billaud *Norvège*
Harry Wijsen *Pays-Bas*
Terence Newcombe *Grande-Bretagne*
André Fertey *U.S.A.*

Illustrations: Oskar Jørgensen

© 1974 par Grafisk Forlag A/S
ISBN Danemark 87-429-7582-4

Imprimé au Danemark par
Sangill Bogtryk & offset, Holme Olstrup

CHRISTIANE ROCHEFORT

est née à Paris dans un quartier populaire (XIVe). Elle peint, dessine, fait de la sculpture et de la musique, et le reste du temps, elle écrit pour sa propre joie.

Son premier livre LE REPOS DU GUERRIER (1958) a provoqué un scandale à cause de son langage libre, tandis que son deuxième livre LES PETITS ENFANTS DU SIECLE (1961), qui traite de l'urbanisme moderne et des problèmes sociaux, a obtenu le Prix Populiste en 1962.

Du même auteur :

LES STANCES A SOPHIE (1963)
UNE ROSE POUR MORRISON (1966)

1

C'était un dimanche au début de l'hiver. Mes parents se sentaient bien dans le lit. Ils étaient heureux, mais ils avaient besoin d'argent. Les *Allocations Familiales* arriveraient donc au bon moment.

Je naquis neuf mois plus tard, le 2 août. C'était ma date correcte, mais je faisais *rater* les vacances à mes parents, en les retenant à Paris tout le mois d'août, alors que l'*usine*, où travaillait mon père, était fermée. Je ne faisais pas les choses comme il faut.

J'étais pourtant en avance pour mon âge : Patrick avait à peine pris ma place dans mon *berceau* que je me montrais capable, en *m'accrochant* aux meubles, de quitter la pièce dès qu'il se mettait à pleurer. Au fond je peux bien dire que c'est Patrick qui m'a appris à marcher.

Quand les *jumeaux* firent leur arrivée à la maison, je m'habillais déjà toute seule et je savais poser sur la table les *couverts* et le pain, en me mettant sur la *pointe des pieds*.

– Et *dépêche-toi* de grandir, disait ma mère, pour que tu puisses m'aider un peu.

Allocations Familiales, somme d'argent, versée par l'Etat chaque mois pour chaque enfant. Plus il y a d'enfants, plus la somme est importante.
rater, ne pas réussir; manquer
usine, endroit où l'on fabrique des objets en se servant de machines
berceau, lit de bébé
s'accrocher, se tenir à qc pour ne pas tomber
jumeaux, jumelles, deux enfants qui sont nés en même temps de la même mère
couvert, pointe des pieds, voir illustration page 6
se dépêcher, se presser; faire plus vite

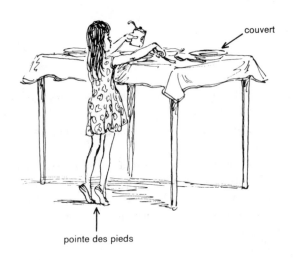

couvert

pointe des pieds

Elle était déjà malade quand je la connus. Elle ne pouvait pas aller à l'usine plus d'une semaine *de suite.* Après la naissance de Chantal, elle s'arrêta complètement.

A ce moment-là je pouvais déjà rendre pas mal de services, aller acheter le pain, pousser les jumeaux dans leur *double landau,* le long des *blocs,* pour qu'ils prennent l'air, et *surveiller* Patrick, qui était en avance lui aussi, malheureusement. Il n'avait même pas trois ans quand il mit un petit chat dans la *machine à laver.* Cette fois-là, quand même, papa lui donna une bonne *gifle* : on n'avait même pas fini de payer la machine.

Je commençais à aller à l'école. Le matin je préparais le déjeuner pour les garçons, je les emmenais à *la maternelle,* et

---

de suite, sans s'arrêter
double landau, voiture d'enfants pour des jumeaux
bloc, très haute maison; = gratte-ciel
surveiller, regarder avec attention
la maternelle, école pour les tout petits; = jardin d'enfants

j'allais à mon école. A midi, on restait à la *cantine*. J'aimais la cantine, on s'assoit et les assiettes arrivent toutes remplies. C'est toujours bon ce qu'il y a dans des assiettes qui arrivent toutes remplies. Les autres filles en général n'aimaient pas la cantine, elles trouvaient que c'était mauvais. Je me demande ce qu'elles avaient à la maison.

Le soir, je ramenais les garçons et je les laissais dans la cour, à jouer avec les autres. Je montais prendre les sous et je redescendais aux *commissions*. Maman faisait le dîner, papa rentrait et ouvrait la *télé*, on mangeait, papa et les garçons regardaient la télé, maman et moi nous *faisions la vaisselle,* et ils allaient se coucher. Moi, je restais dans la cuisine, à faire mes devoirs.

gifle

machine à laver

---

cantine, ici : salle à l'école, où les élèves peuvent acheter un repas bon marché
commissions (pl.) courses que l'on fait tous les jours
télé, télévision (pop.)
faire la vaisselle, laver les assiettes et les couverts après un repas

Maintenant, notre appartement était bien. Avant, on habitait dans *le treizième,* une sale chambre avec l'eau sur le *palier.* Quand le quartier avait été *démoli,* on nous avait mis ici, dans cette *Cité.* On avait reçu le nombre de pièces auquel nous avions droit selon le nombre d'enfants. Les parents avaient une chambre, les garçons une autre. Moi, je couchais avec les bébés dans la troisième. On avait une salle de bains, où on avait mis la machine à laver, et une cuisine-*salle de séjour,* où on mangeait. C'est sur la table de la cuisine que je faisais mes devoirs. C'était mon bon moment : quel bonheur quand ils étaient tous couchés, et que je me retrouvais seule dans la nuit et le silence! Le jour, je n'entendais pas le bruit, je ne faisais pas attention; mais le soir j'entendais le silence. Le silence commençait à dix heures : les fenêtres s'éteignaient, les radios se taisaient, les bruits, les voix, et, à dix heures et demie, c'était fini. Plus rien. Le désert. J'étais seule, en paix. Je me suis mise à aimer mes devoirs peu à peu. J'aurais bien passé ma vie à ne faire que des choses qui ne servaient à rien.

---

le treizième, le XIIIe arrondissement : quartier populaire de Paris
palier, espace situé entre deux étages
démolir, détruire
salle de séjour, pièce où l'on a l'habitude de vivre

Questions

1. Que pensez-vous de la vie que l'on fait mener à cette petite fille?

2. A quel milieu social, selon vous, appartient cette famille? Que pensez-vous d'elle?

3. Que représente la soirée de devoirs pour la petite fille?

Cité

2

Un jour, une dame vint à la maison, et demanda si les enfants allaient au *catéchisme*. C'était un jeudi, après le déjeuner, j'allais sortir les petites. Maman *repassait*. La dame expliquait les avantages qu'elle aurait à envoyer les enfants au catéchisme. Maman n'avait pas d'opinion. Il faudrait donc qu'elle demande au père.

Je finissais d'habiller Chantal. Je dis :

– Moi, je voudrais y aller, au catéchisme.

Ma mère me regarda étonnée. La dame me fit un tel sourire que je *faillis* regretter. Elle ressemblait à un vieux *fromage*.

fromage

On ne trouva rien contre.

– Bah! comme ça ce sera fait, dit ma mère.

Le lundi, en sortant de l'école, je prenais à gauche au lieu d'à droite, et je rentrais une heure et demie plus tard à la maison, quand tout était prêt. Ça valait la peine.

La maîtresse, Mlle Garret, ouvrit le livre, et dit :

– Qu'est-ce que Dieu? Dieu est un pur esprit, infiniment parfait.

---

catéchisme, instruction sur les principes de la religion chrétienne
repasser, passer un fer chaud sur le linge que l'on vient de laver
faillir (+ verbe), être bien près de

Jamais de toute ma vie je n'avais entendu un *truc* aussi extraordinaire. Dieu est un pur esprit infiniment parfait. Qu'est-ce que ça pouvait être? Je restais la bouche ouverte. Je me réveillai en entendant la maîtresse qui demandait, plus fort, en nous regardant d'un air *sévère :*

– Qu'est-ce que Dieu?

– Dieu est un pur esprit infiniment parfait, répondirent les autres tranquillement. Je n'avais pas pu répondre avec elles, je ne comprenais pas la phrase, pas un seul mot. Ça commençait mal.

Je ne sais pas ce qui s'est passé ce soir-là à la maison, ce qu'on a mangé, qui s'est disputé avec qui. Je retournais la phrase dans tous les sens, cherchant par quel bout la prendre; et je n'y arrivais pas.

Un jour, j'eus une histoire avec Mlle Garret, qui ne comprenait pas pourquoi je ne comprenais pas, et me dit que je *raisonnais.* Je n'avais qu'à apprendre *par cœur.*

Elle nous disait :

– L'homme est composé d'un corps et d'une âme.

Mystère. A nouveau un truc extraordinaire. L'homme est composé d'un corps et d'une âme. Et moi?

– Josyane? eh bien, Josyane, tu rêves?

– Est-ce que tout le monde a une âme?

– Bien sûr, dit Mlle Garret avec un léger *haussement d'épaules.* J'aurais bien posé d'autres questions, mais Mlle Garret n'aimait pas ça. J'avais donc une âme, comme tout le monde.

---

truc, = chose (pop.)
sévère, qui ne laisse pas passer de fautes
raisonner, chercher à comprendre
par cœur, de mémoire
haussement d'épaules, l'action de lever les épaules pour montrer que l'on n'est pas du même avis

Les jours de catéchisme, une amie, Ethel Lefranc, ramenait Chantal de la maternelle en même temps que son petit frère. Les garçons *se débrouillaient* maintenant, je n'avais qu'à les *ramasser* dans le *terrain* en passant.

Il faisait nuit. Presque toutes les fenêtres des grands blocs neufs, de l'autre côté de l'avenue, étaient éclairées. Les blocs neufs étaient de plus en plus habités. Dès qu'un bloc était fini, hop, on le remplissait.

Je les avais vu construire. Maintenant ils étaient presque pleins. Longs, hauts, posés sur la plaine, ils faisaient penser à des bateaux. Le vent soufflait entre les maisons. J'aimais traverser par là. Quand je passais tout près, je croyais qu'ils allaient me tomber dessus. Tout le monde avait l'air *minuscule*. Il me semblait que j'étais très loin, et j'avais un peu *mal au cœur*, ou peut-être justement à l'âme.

Dès que j'avais retrouvé les *gosses,* je rentrais.

– Va vite chercher du lait, disait ma mère, je n'ai pas eu le temps. Prends les sous sur le *buffet*. Sors les *ordures* en même temps, et tu prendras du pain aussi. Tu penseras à rentrer le landau en revenant, et regarde s'il y a du *courrier*, dépêche-toi, ton père va arriver, tu devrais déjà être revenue.

Si Mlle Garret avait dit la vérité, ma mère avait une âme aussi. Je le lui aurais bien demandé, mais elle entra à l'hôpital, et je dus arrêter le catéchisme pendant un certain temps.

---

se débrouiller, faire qc tout seul, sans l'aide de qn
ramasser, prendre qc qui est par terre; ici : prendre en passant
terrain, ici : endroit triste, sans arbres, entre les blocs
minuscule, tout petit
mal au cœur (avoir), avoir envie de vomir (rendre par la bouche)
gosse, enfant (pop.)
buffet, grand meuble où l'on range les assiettes, les verres, etc.
ordure, chose que l'on jette
courrier, ensemble des lettres qu'on reçoit ou qu'on envoie

Nicolas naquit en février et tout repartait à zéro. Grâce à lui, on pourrait faire réparer la machine à laver. Après ça, avec un peu de chance, on pourrait peut-être penser à acheter une voiture.

Ce qui nous posait le plus grand problème, c'est qu'on devait acheter un noveau lit pour Catherine, si Nicolas allait dans le berceau. Un lit, c'est cher. *Finalement* avec l'oncle Georges, qui *bricolait,* pas comme papa qui ne savait rien faire de ses dix doigts, on installa un petit lit par-dessus celui de Chantal. Celle-ci monterait d'un étage, tandis que Catherine, quittant le lit du bébé, irait dans le lit du bas. Et qu'est-ce qu'on ferait après, le plafond ne serait jamais assez haut si on continuait!

Depuis que ma mère n'allait plus à l'usine, elle lavait les escaliers de la Cité. Chantal la suivait comme un chien. Catherine *traînait,* pas loin de Patrick, avec deux ou trois enfants du même âge, qui s'amusaient à lancer des *cailloux.* Quand ils pouvaient trouver un chat ou un chien, ils étaient fous de joie. Mais c'était rare, en général les bêtes ne vivaient pas longtemps ici. Il ne restait donc plus à la maison que Nicolas, dont je m'occupais à la place de la mère entre les heures de classe.

Il était pâle et *roux,* et gardait les yeux clairs, tandis que les nôtres étaient bruns. Il n'était pas difficile, il ne faisait pas beaucoup de bruit. Il regardait tout de ses yeux clairs grands ouverts, avec l'air de se demander dans quelle maison de fous il était tombé. Je me disais qu'il avait peut-être une âme.

---

finalement, à la fin; enfin
bricoler, faire de petits travaux chez soi
traîner, ici : aller par ci, par là, sans but; ne rien faire
roux (adj.), aux cheveux clairs, entre le jaune et le rouge

caillou

Je lui parlais comme je l'avais toujours fait aux bébés en m'occupant d'eux quand j'étais seule. Mais lui, on aurait dit qu'il m'écoutait, et ça me donnait du courage. Je lui racontais tout ce qui m'arrivait, ou pourquoi j'étais de mauvaise humeur. Il *adorait* que je m'occupe de lui, il se roulait dans mes bras et riait. Ça me *soulageait* de lui parler.

Un jour, j'eus une amie, Fatima. Nous nous sommes ren-

adorer, aimer beaucoup
soulager, enlever des soucis ou de la peine

contrées un soir, alors qu'elle essayait de rentrer ses garçons et moi les miens.

– Tiens, me dit-elle, ils sont à toi ces deux-là? en montrant les jumeaux.

Fatima me demanda combien de frères j'avais.

– Trois, dis-je.

– Moi, et elle a compté, j'en ai quatre.

J'ai dit :

– Mais moi, j'ai encore deux filles.

– Moi trois, dit-elle, et deux qui sont mortes.

– Moi, j'ai seulement un frère qui est mort. Mais j'ai aussi un bébé, qui s'appelle Nicolas.

– Nous, on en attend un pour le mois de juillet, dit-elle.

On a fait notre compte, elle avait gagné. On a ri. Mais on ne pouvait pas rester longtemps, on avait du travail qui nous attendait à la maison.

Je n'avais pas d'amies à l'école. Je n'aime pas les filles, elles sont si *stupides*. Fatima, c'était spécial, on pouvait causer. Nous nous sommes revues. Mais nous n'avions jamais bien le temps, c'était toujours elle allant aux commissions, moi en revenant, ou le contraire. Et *c'est dommage,* parce que je l'aimais bien. Ça me faisait toujours plaisir quand je la voyais de loin, avec ses longs cheveux noirs, et son sourire. Fatima et moi, on se comprenait. Mais elle partit, ils allaient s'installer dans les grandes maisons de Nanterre, parce qu'ici ils n'avaient plus assez de place, ils étaient onze dans trois pièces. Je dis à Nicolas que Fatima était partie. J'étais triste.

Tous les soirs en allant me coucher, je le trouvais debout dans son lit. Je n'allume pas pour *me déshabiller,* afin de ne

---

stupide, qui n'est pas intelligent
c'est dommage, expression voulant dire : c'est triste
se déshabiller, enlever ses vêtements

pas réveiller les petits, mais lorsqu'il y a la *pleine lune,* on voit tout clair dans la chambre. Nicolas ne s'endormait jamais avant que je sois venue lui parler et l'embrasser, et ça me faisait plaisir de le voir là, qui m'attendait, et de le sentir contre moi tout chaud et doux.

pleine lune

Un jour en classe on nous apprit une *fable* d'un roi qui avait un grand secret et ne devait le dire à personne.

---

fable, courte histoire imaginée, où l'on fait souvent parler et agir les animaux

Une fois, en ayant assez, il s'est couché dans les herbes et leur a tout raconté. Mais les herbes l'ont dit au vent, qui l'a dit à tout le monde.

J'ai trouvé cette fable très jolie et je l'ai racontée à Nicolas le soir. Lorsqu'il est là debout, blanc et roux, tout brillant dans la lune, ce que je raconte devient beau.

J'ai dit :

– Je suis le roi, et toi tu es l'herbe.

Et je l'ai embrassé.

Dès que je l'ai embrassé, Nicolas *s'endort comme un ange* et ne bouge plus.

Questions

1. De quelle façon apprend-on le catéchisme à Josyane?

2. Quelles sont ses réactions? Pourquoi?

3. Comment les parents élèvent-ils leurs enfants?

4. D'après vous, est-ce qu'un enfant peut vivre sans amis?

5. Que représente Nicolas pour Josyane et elle pour lui?

---

s'endormir, commencer à dormir
comme un ange, expression voulant dire : sagement

C'était encore une fois le printemps. Quand je revenais de
l'école je regardais les rares fleurs, que la Cité n'avait pas
encore détruites. Mais je ne disais rien aux autres filles, car
elles auraient ri.

Le seul moment où je pouvais me promener tranquille,
c'était en allant aux commissions. Je regardais les gens
descendre de l'*autobus* juste devant la Cité. Ils revenaient

de leur travail. C'étaient toujours à peu près les mêmes têtes. Je les reconnaissais, mais on ne se disait jamais bonjour.

Un soir, un homme qui descendait de l'autobus me regarda et me sourit. Il traversa l'avenue vers les grands blocs, et se retourna pour me regarder. Je me demandais pourquoi cet homme m'avait souri, car justement celui-là, je ne l'avais jamais vu. C'était *bizarre*, et j'y repensai, et puis il m'arrivait tellement peu de choses que le plus petit détail restait dans ma mémoire. Plusieurs fois, je revoyais cet homme, et toujours il me regardait.

Un soir, en revenant des commissions, je le *croisai*. J'avais deux bouteilles de vin, une d'eau, et le lait, plus le pain sous le bras.

– C'est bien lourd pour toi tout ça, me dit-il comme si on se connaissait. Tu veux que je te le porte?

– Oh! je suis arrivée, dis-je, c'est là que j'habite.

– Dommage, dit-il. Moi, j'habite là, ajouta-t-il en montrant les grands blocs. Pour l'instant. Je te vois souvent, en train de porter tes *filets*. Tu as beaucoup de travail?

filet

– Oui. Voilà, je suis arrivée.

– *Tant pis*, me dit-il. A bientôt, peut-être?

---

bizarre, qui étonne; qui n'est pas normal

croiser (qn), rencontrer qn alors que l'on marche chacun dans un sens

tant pis, expression voulant dire : cela est malheureux, mais on ne peut rien y changer

Il traversa l'avenue et me fit un signe de la main.

Je le rencontrais plus souvent. Je le croisais toujours sur l'avenue. Peut-être m'attendait-il? Il arriva qu'on dépasse la Cité, tout en parlant, qu'on prenne la petite rue qui fait le tour des maisons vers les petits jardins. Toujours, il m'aidait à porter mes filets.

Il s'appelait Guido. Il vivait seul. Il me parlait comme à une grande personne, il me racontait sa vie. Il n'était pas dans son pays ici. Dans son pays, il avait une maison avec des *vignes,* et comme moi beaucoup de frères et de sœurs. Des sœurs très belles qui se mariaient l'une après l'autre.

On faisait quelques pas, et il me quittait, avec son petit signe de la main et son sourire. C'était un homme très beau, brun avec de belles dents blanches quand il souriait, et des yeux clairs. Il devait bien avoir trente ans.

planète

Il se sentait très seul, il était triste. Les blocs le rendaient malheureux. Il me disait que bientôt le monde entier serait comme ça, et que les hommes qui *avaient quelque chose dans le ventre* n'auraient plus qu'à tous fuir sur la *planète* Mars. Il me regarda et me dit qu'il était en train de devenir fou. Mais il sourit, il n'avait pas l'air fou du tout, au contraire.

– Quel âge as-tu? me dit-il.

– Onze ans.

– *Madonna,* dit-il.

---

vigne, plante avec laquelle on fait du vin
avoir qc dans le ventre, avoir de la volonté, de l'énergie
Madonna (italien), expression qui signifie : Ciel!

Il me racontait que le soir il écoutait sa radio, elle était vieille, mais il aimait tellement la musique qu'il préférait ça à rien du tout. Il faut avoir quelque chose qu'on aime dans la vie, sinon on serait comme une bête. Je lui dis que moi, si je n'avais pas Nicolas, je serais comme une bête. En le disant, c'est ainsi que je *m'en rendis compte,* c'est fou ce qu'on peut découvrir en parlant.

Je me mis à lui parler de Nicolas, je lui dis que je croyais qu'il avait une âme. Il parut étonné. Je lui expliquai ce qu'avait affirmé Mlle Garret à ce sujet, et que je n'arrivais pas à croire que tout le monde en a une. Il *hocha la tête.*

– C'est vrai que c'est difficile à croire, dit-il. Et moi, est-ce que j'ai une âme?

Il s'était arrêté de marcher pour que je le regarde. Il souriait, montrant ses belles dents blanches. Je lui dis que je croyais que oui.

– A quoi tu le vois?

– Je ne sais pas. Comme ça. Je ne sais pas. D'abord, tu parles.

Il disait :

– Quand je construis ces maisons, je suis malade. Je ne sais pas si je pourrai continuer longtemps. Je pense : c'est toi qui fais ça Guido, toi qui est né sur les *collines.*

Chez lui, il y avait toujours du soleil, mais il n'y avait pas de travail. Un jour, disait-il, il n'y aura même plus de collines. Dieu veuille que je sois mort ce jour-là. Je ne suis pas fait pour supporter ça, je suis un homme moi, pas un *robot.*

– Tu dois avoir raison, me dit-il. C'est pour ça qu'il m'arrive ce qui m'arrive.

---

se rendre compte (de qc), comprendre; réaliser
hocher la tête, secouer la tête de haut en bas
colline, terrain un peu élevé

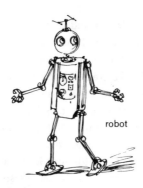

robot

– Qu'est-ce qui t'arrive?

– Quel âge as-tu?

Je le lui avais déjà dit, mais il avait dû l'oublier. Je lui redis.

– Quel malheur, dit-il.

Il se remit à marcher. Il me prit par la main. Sa main était grande et chaude, bien fermée sur la mienne. Personne ne m'avait jamais pris la main, et j'eus envie de pleurer.

Il me dit qu'il n'avait pas de femme, il ne pouvait plus les supporter. Elles étaient fausses comme les *réclames,* que l'on voit partout, disait-il.

– Ici, on perd vite son âme, dit-il. Ou bien, si on ne la perd pas on devient fou. C'est ce qui est en train de m'arriver. Avec toi, ajouta-t-il, en me souriant.

réclame

Je n'avais pas parlé de Guido à Nicolas au début : un jeune homme qui descendait de l'autobus m'a regardée . . . c'était trop bête à dire. Alors je lui racontai que j'avais rencontré un habitant de la planète Mars. Il était presque *invisible*. Les autres gens ne le voyaient pas, il restait tout seul. Il *s'ennuyait* ici, il trouvait que c'était *moche*, mais il ne pouvait pas retourner chez lui, il était perdu. Il n'y avait qu'une chose qu'il aimait chez nous, c'était la musique. Le soir, il l'écoutait en passant devant les maisons. Chez lui, tout le monde avait une âme, tout le monde se comprenait. Ici, personne ne parlait à personne, les gens étaient enfermés dans leur *peau* et ne regardaient rien. Il *avait beau* leur sourire, les saluer, ils ne répondaient pas. J'étais la seule. Chez lui, il y avait toujours du soleil, et c'était couvert de vignes et les arbres ne perdaient pas leurs feuilles. Et j'en ai donné des détails sur la plannète Mars, rien que pour pouvoir parler d'une façon ou de l'autre de Guido! J'avais *inventé* qu'il s'appelait *Tao,* car il me disait au revoir ainsi.

---

invisible, que l'on ne peut pas voir
s'ennuyer, trouver le temps long; ne pas savoir quoi faire
moche, qui n'est pas beau (pop.)
peau, la partie extérieure du corps de l'homme et des animaux
avoir beau (+ inf.), essayer en vain de
inventer, imaginer une chose
Tao, ciao; au revoir (en italien)

Questions

1. De quelle manière Josyane rencontre-t-elle Guido?

2. Pourquoi se met-elle à l'aimer?

3. Que lui apporte-t-il?

4. Que pensez-vous de Guido?

5. Pourquoi Josyane parle-t-elle à Nicolas de la planète Mars?

scooter

4

L'école était finie. C'était l'été. Je rencontrais Guido tous les jours, après son travail. On allait se promener un peu plus loin, entre les jardins. Quand je lui dis qu'on allait partir en vacances, il devint sombre. Il me regardait, commençait une phrase et ne la finissait pas. Puis, il repartait et on marchait sans parler, sa main serrant très fort la mienne. *J'avais le cœur lourd,* et moi non plus je n'arrivais pas à parler. Finalement, il me demanda si je pouvais aller aux commissions plus tôt, le lendemain. Il s'arrangerait pour être libre, lui aussi. Naturellement, je pouvais. On eut un vrai *rendez-vous,* à une vraie heure, dans un endroit précis, un peu loin de nos maisons.

Il avait un *scooter.* Un *copain* le lui avait prêté. Il me demanda si je voulais bien faire un tour avec lui. Si je voulais! Monter en scooter!

J'étais *ravie.* Lui avait toujours l'air aussi sombre. Il allait vite, je devais m'accrocher fort à lui, c'était merveilleux. On entra dans le bois. Il prit une allée, et s'arrêta.

– On va marcher un peu, dit-il. Tu veux bien?

Je sautai du scooter. Il le mit contre un arbre.

– On ne va pas te le voler? demandai-je.

– On n'ira pas loin. Juste quelques pas. Pour te dire quelque chose.

On fit quelques pas, dans un *sentier.* Il avait pris ma main.

– Alors, tu pars demain?

---

avoir le cœur lourd, être triste
rendez-vous, décision de se rencontrer à une heure et à un endroit fixes
copain, ami (pop.)
ravi, très heureux
sentier, petit chemin étroit

– Oui, répondis-je tristement. *Ça ne me disait rien.*

– Tu sais . . . dit-il.

– Quoi? demandai-je au bout d'un moment, voyant que rien ne venait.

– Ah! dit-il.

Il se tourna vers moi, et me regarda d'un air perdu. Il prit mes deux mains et soudain m'attira contre lui, et il se mit à parler en italien. Ce qu'il disait, je ne le sais pas, je ne sais pas l'italien. Mais je n'ai jamais rien entendu de si beau, je comprenais tout. Quand il m'embrassa, il était brûlant, ses mains étaient brûlantes sur moi, et de temps en temps il levait les yeux vers moi.

Il me dit en français :

– Je ne veux pas te faire de mal. Je te jure, je te jure, c'est que je t'aime.

Je le laissais faire. Je n'avais pas envie de l'empêcher, pas du tout. La chaleur de ses lèvres me faisaient perdre la tête. C'était doux, j'entendais les oiseaux. J'aurais voulu que ça soit éternel.

– Tu ne *m'en veux* pas? demanda-t-il quand on revint au scooter. La nuit commençait à tomber, et j'étais en retard.

– Ah non! m'écriai-je. J'étais *sincère.*

– Je suis fou, disait Guido.

On rentra *à toute vitesse,* et on *manqua mourir* vingt fois. Il me laissa un peu avant la Cité, et se retourna plusieurs fois sur son scooter, avant de tourner dans son allée.

– Alors, qu'est-ce que tu as *fichu?* Le spaghetti, quand

ça ne me dit rien, je n'en ai pas envie
en vouloir (à qn), être fâché contre qn
sincère, qui dit ce qu'il pense
à toute vitesse, très vite
manquer mourir, presque mourir
ficher, faire (pop.)

est-ce qu'il va cuire? me dit ma mère quand je rentrai.

Je le ramenais. On l'avait acheté avec Guido en passant.

– Je me suis promenée.

– Ce n'est pas le moment de te promener quand je t'attends avec les commissions.

Normalement, je me tais. Mais aujourd'hui, j'*explosai* :

– Et c'est quand le bon moment? J'ai sans arrêt des trucs à faire! Je n'arrête pas du matin au soir, tandis que les autres ne fichent rien! Il n'y a qu'à donner des commissions à Patrick, car lui, il a le droit de traîner tant qu'il veut!

Patrick se détourna à peine de la télé et me jeta :

– Moi, ce n'est pas pareil, moi je suis un homme.

J'éclatai de rire.

– Un homme! tu ne sais même pas ce que c'est.

– Allez-vous vous taire? dit la mère. Votre père regarde la télévision. Josyane, mets la table, dépêche-toi!

Ils se disputaient tous. Ils avaient gagné. Mon rêve était détruit, perdu dans les cris, je n'arrivais pas à le retrouver.

Le soir, dans ma chambre, Nicolas me demanda :

– Qu'est-ce que tu as fait aujourd'hui? Ne dis pas : j'ai rencontré Tao. Ça se voit.

– Ça se voit?

Mon Dieu, après tout, oui, peut-être, ça se voyait. Heureusement qu'avec les autres j'étais tranquille. Ils ne voyaient jamais rien.

– Qu'est-ce que vous avez fait?

– Nous sommes allés dans la forêt.

– Qu'est-ce que vous avez fait dans la forêt?

– Euh, on a *cueilli* des fleurs.

– Où sont-elles?

---

exploser, ici : se mettre en colère
cueillir, arracher une fleur

Ce n'était pas toujours facile avec Nicolas. Je lui avais donné l'habitude de tout lui dire.

– Elles sont parties. Ce sont des fleurs qui *s'envolent* quand on les cueille.

– Alors, pourquoi on les cueille?

– Parce que c'est joli quand elles s'envolent. Et après on les regrette.

– J'en veux aussi, dit Nicolas.

C'était à prévoir. J'ai dû lui en promettre.

Grâce à Nicolas, mon rêve était revenu. Je pensai que j'allais sûrement être malheureuse, mais j'aimais mieux ça que de manquer quelque chose, de ne pas savoir que ça existe.

Questions

1. Quel est l'événement qui arrive dans la vie de Josyane?

2. Quelles réflexions inspirent ce chapitre?

3. Pourquoi Guido est-il malheureux et regrette-t-il son pays?

---

s'envoler, s'en aller dans l'air

5

Alors arrivèrent les vacances. Cette fois, on n'irait pas chez la grand-mère travailler dur dans son jardin. On irait dans un hôtel à la campagne, comme les vraies gens qui vont en vacances. On se reposerait vraiment, du matin au soir, sans rien faire que respirer le bon air. On en parlait depuis Pâques : l'*itinéraire*, l'hôtel, le programme, de tout. Très vite, ils avaient réussi à détruire la fête. Enfin, on avait aussi une voiture, que le père passait ses dimanches à laver.

Et on partit, tous *entassés*. Cette année, pour que tout le monde profite de la voiture et se rende bien compte que le père en avait une, personne n'avait été mis à la *colonie de vacances*.

Papa conduisait *comme un cochon*. Tous les autres *imbéciles* de la route le lui faisaient bien remarquer chaque fois qu'il essayait de *doubler* une voiture. Et chaque fois qu'il se faisait *insulter*, Patrick rougissait. Il avait *honte* de son père. Et depuis le début il était furieux parce qu'on ne l'avait jamais laissé toucher à la chère machine.

Tous les vingt kilomètres, Patrick demandait au père de lui laisser conduire la voiture, rien qu'un peu. Et le père répondait *fermement* que non.

---

itinéraire (m.), chemin à suivre
entasser, réunir trop de choses en un seul endroit
colonie de vacances, grande maison à la campagne, où l'on reçoit les enfants des villes pendant les vacances d'été
comme un cochon, très mal (pop.)
imbécile, qui n'est pas intelligent; ici : qui conduit mal
doubler, dépasser une voiture qui roule plus lentement
insulter, dire des choses désagréables
honte, sentiment que l'on éprouve quand on a commis une faute
fermement (adv.), avec autorité

– Je ferais au moins aussi bien que toi, dit Patrick, *humilié*.

– Je sais ce que j'ai à faire, déclara le père, auquel la voiture donnait une autorité qu'il n'avait jamais eue.

– Pipi, dit Catherine.

– Ah! non! dit le père.

– J'ai envie, dit Catherine, et elle se mit à pleurer.

– Tu attendras qu'on prenne de l'*essence*.

– Tu sais bien qu'elle ne peut pas attendre, dit la mère. Elle va faire dans sa *culotte*.

– Ah! là! là! dit le père, pour gagner encore un peu de temps.

Ou alors c'était Chantal qui avait mal au cœur. Elle ne supportait pas la voiture, et finalement il fallut la mettre devant, près de la *vitre*, avec la mère. Patrick était au milieu, entre le père et la mère. Moi, derrière, j'avais Nicolas sur moi, et la moitié de Catherine. Les jumeaux étaient serrés dans l'autre coin, et regardaient le pays. Aux arrêts, Nicolas cueillait des fleurs et les lâchait en l'air, pour voir si elles allaient s'envoler. On remontait dans la voiture, où le père, *impatient*, regardait sa *montre*.

 montre

– Avec vous, on n'arrivera jamais!
Patrick se mit à rire *bruyamment*.

---

humilier, blesser l'orgueil de qn
essence, produit qu'on utilise pour faire marcher les autos
culotte, linge léger que l'on porte sous ses vêtements
vitre, le verre d'une fenêtre; ici : d'une voiture
impatient, qui n'aime pas attendre
bruyamment, avec beaucoup de bruit

tas de sable

– Toi, je vais te laisser sur la route, dit le père. Je vais te laisser sur la route, tu vas voir!

Il pensait que quitter sa «belle» voiture c'était la pire façon de le *punir*.

– Oké, dit Patrick. J'aime mieux être *orphelin* que d'être mort.

Comme la voiture n'était pas encore en marche, il eut sa gifle.

– Descends, dit le père en ouvrant la porte.

– Maurice . . . dit la mère faiblement.

– Ça lui servira de leçon, dit le chef de famille. Ça lui servira de leçon, tiens.

Sur le bord de la route, Patrick *jubilait*. Le père avait du mal à repartir, parce qu'il s'était mis dans un *tas de sable*.

---

punir, faire subir une peine à qn à cause d'une faute qu'il a commise
orphelin, enfant qui a perdu ses parents
jubiler, être fou de joie

mûre

buisson

Aussitôt commença une scène avec la mère, qui trouvait qu'il avait été trop dur, et qui voulait qu'on retourne. Lui ne voulait pas.

– J'en ai assez de ce gosse. Toujours à critiquer ce que font les autres.

Dans le fond ça le soulageait de ne pas l'avoir à côté de lui en train de lui faire remarquer toutes ses *bêtises*. Nous, on les remarquait aussi, mais au moins on se taisait.

Après quelques minutes de paix, le père dit :

– Il doit avoir compris maintenant.

Et il *fit demi-tour,* ce qu'il valait mieux que Patrick n'ait pas vu.

Patrick n'était plus où on l'avait laissé. Les parents se

---

bêtise, parole ou action qui manque d'intelligence
faire demi-tour, revenir en arrière

34

rivière   pont

mirent à chercher de chaque côté de la route. Rien. On commença à avoir peur. On appela : Paaatrick! Paaatrick! Paaatrick!

– Je te l'ai dit, disait la mère, que *t'étais* trop dur. Je le savais.

Moi, les jumeaux et Nicolas, nous avions trouvé un *buisson de mûres* et nous étions dedans.

– Vous ne pouvez pas nous aider à chercher plutôt? dit le père.

Je lançai l'idée qu'il s'était peut-être jeté dans la *rivière*, qui coulait tout près. Mais dans le fond, je n'y croyais pas. Catherine se mit à pleurer. Je dis qu'après tout on *s'était* peut-être *trompés* d'endroit. Alors les parents remontèrent un

t'étais, = tu étais (pop.)
se tromper, faire une erreur

bout de chemin, mais toujours rien. Le père décida de prévenir les *gendarmes*. La mère dit qu'elle resterait dans le village jusqu'à ce qu'on ait retrouvé «le petit», comme ils l'appelaient maintenant. Tous les paysans du *coin* s'intéressaient à nous.

Finalement on le rencontra plus loin, assis sur un *pont*, et mangeant des pommes.

– Dites donc, vous n'allez pas vite, nous dit-il avec *mépris*, quand on s'arrêta devant lui. Ça fait bien une heure que je vous attends.

– Eh! par où es-tu passé? dit le père qui n'y comprenait plus rien.

– Je vous ai doublés en voiture, dit Patrick. Ce n'était pas difficile. Et ça l'aurait été encore moins, si tu n'avais pas roulé en plein milieu de la route. J'allais repartir, je commençais à en *avoir marre*.

– Non, mais tu te moques de nous? éclata le père. Je vais te relaisser là, moi!

– Maurice . . . supplia la mère. Allez, monte, dit-elle à Patrick. Dépêche-toi, ton père a déjà perdu assez de temps avec toi.

Patrick monta dignement, regardant tout avec mépris.

– Je suis monté dans une Cadillac, dit-il *au bout d'*un moment, bien que personne ne lui ait rien demandé.

– *T'aurais* tout de même pu nous attendre, dit la mère. Tu savais bien qu'on reviendrait te chercher. On se demandait où tu étais passé.

---

gendarme, soldat qui assure l'ordre public
coin, ici : village
pont, voir illustration pages 34 et 35
mépris, sentiment qui montre que l'on n'estime pas une personne ou une chose
avoir marre, avoir assez (pop.)
au bout de, après
t'aurais, = tu aurais (pop.)

36

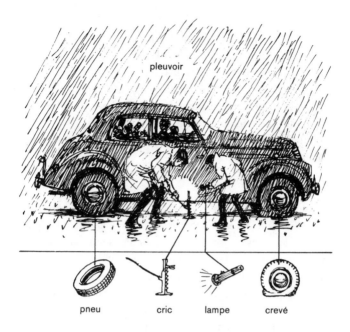

pleuvoir

pneu   cric   lampe   crevé

– Josyane a dit que tu t'étais jeté dans la rivière, dit Chantal.

– Je n'y croyais pas vraiment, ça aurait été trop beau.

– Patrick ne nous ferait pas ce plaisir, dirent les jumeaux.

Mais Patrick ne s'occupait pas de nos *bavardages*. Il expliquait tout ce qu'il y avait dans la Cadillac, qu'il n'y avait pas dans celle-ci.

– Pourquoi tu n'y es pas resté? lui dis-je en ayant assez.

– Allez-vous vous taire! dit la mère. Ah! ces gosses! Ça commence bien les vacances!

Il se mit à *pleuvoir* et on *creva*. Le père, furieux, sortit le *cric*. Patrick tenait la *lampe*.

---

bavardage, le fait de parler pour le plaisir, en ne disant que des choses sans importance

– Dans la Cadillac, dirent les jumeaux, quand un *pneu* crève, un autre vient se mettre à la place tout seul.

Enfin, on arriva. On réveilla le *patron* qui avait donné une des chambres à un autre client, croyant que l'on n'arriverait plus. On s'installa donc dans deux chambres, en attendant que quelqu'un parte.

Le lendemain, les vacances commencèrent. Je pensais que j'allais aimer la nature. Non.

C'étaient les mêmes gens, après tout, que je voyais d'habitude, qui étaient là. La différence est qu'on était un peu plus entassé ici dans ce petit hôtel qu'a Paris où on avait au moins chacun son lit. Et qu'on se parlait. Je ne vois pas comment on aurait pu faire autrement, car on ne pouvait pas se quitter. On mangeait ensemble à une grande table, midi et soir, et dans la journée on allait toujours aux mêmes endroits. Et on n'avait rien à faire du matin au soir! Le soir, on allait faire un tour dehors, sur la route, prendre l'air avant de rentrer : c'était *sain,* disaient-ils.

Je ne me souvenais pas d'avoir manqué d'air à la Cité. En tout cas pas au point d'être obligé d'aller en chercher ailleurs. Quel malheur qu'on ne m'ait pas donné de devoirs de vacances! J'essayais de m'en inventer, mais ça ne marchait pas. Les devoirs, ça doit être obligé, sinon ce n'est plus des devoirs.

Nicolas et moi, on n'avait même plus rien à se dire. Il s'ennuyait comme moi et voulait rentrer à la maison.

Que ce mois d'août fut long! Enfin, on rentra à Paris. Guido n'était plus là.

---

pneu, voir illustration page 37
patron, ici : celui qui dirige l'hôtel
sain, qui est bon pour la santé

Questions

1. Que pensez-vous des vacances?

2. La façon dont Christiane Rochefort raconte ces vacances vous a-t-elle amusé, et pourquoi?

3. Quels sont les rapports des enfants entre eux?

4. Pourquoi Josyane s'ennuie-t-elle?

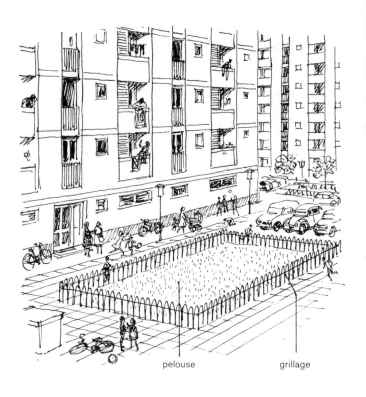

pelouse   grillage

6

Alors commença la longue *attente*. J'en ai attendu des bus, j'en ai attendu. J'en ai regardé descendre des *types*. Longtemps après que je n'y croyais plus, j'y croyais encore – ou alors qu'est-ce que je faisais là, qu'est-ce que j'attendais, si je n'attendais rien?

Justement, ils avaient mis un banc. C'était sans doute pour moi, pour que je me repose un peu, le *découragement* ça fatigue. Il y avait des soirs, je ne pouvais plus porter les bouteilles. Je n'avais plus de force.

Je m'asseyais sur le banc. Je n'y croyais plus. Je regrettais. Je regrettais, je regrettais, je regrettais. C'était encore presque l'été. Ici, c'était beau la nature. Il y avait des *étoiles;* en renversant la tête, je les voyais. Là-bas, en vacances, je n'y avais seulement pas pensé.

étoile

J'allais dans la petite rue, où j'étais allée avec Guido. Mais ça ne m'*avançait à rien*. Il y avait un trou à côté de moi, là où Guido aurait dû être.

Je traînais au milieu des grands blocs. Partout les *pelouses* étaient entourées de *grillages* pour que les gosses n'y aillent pas. Je me demande pourquoi on n'enferme pas plutôt les enfants et on ne laisse pas les arbres en liberté autour.

---

attente, l'action d'attendre
type, homme (pop.)
découragement, le fait de perdre courage
avancer à rien, ne servir à rien; être inutile

– Tao est parti, Nicolas. Il est retourné sur Mars. Il en a eu assez.

Le soir, je pleurais dans mon lit. Ces temps-ci, je pleurais tout le temps, je ne sais pas ce que j'avais, c'était peut-être l'âge.

– Ne pleure pas, Jo. Je ne veux pas que tu pleures. Je casserai toute la maison.

Nicolas m'entendait pleurer, il se levait et venait me consoler.

– Je tuerai tout le monde. Tao reviendra. Ne pleure pas. On ira sur Mars. Quand je serai grand, tu seras ma petite sœur.

– Heureusement que tu es là. Toi, tu comprends tout, tu as une âme.

– J'ai une âme rouge. Le soir, je la sens, ici. Elle me brûle.

Nicolas partit au *sanatorium*. Pourquoi lui? Ce n'était pas juste.

– D'un côté, commenta la mère, ça fera une place pour le bébé, je me demandais bien comment on s'arrangerait pour les lits.

Elle attendait encore un enfant. Elle arrivait dans son huitième mois, et on n'avait pas *de quoi acheter* un nouveau lit.

– Et si par hasard Nicolas ne mourait pas, on ne sait jamais? Comment feras-tu quand il reviendra? criai-je, furieuse.

– A ce moment-là, on verra. On a le temps d'y penser.

J'étais de plus en plus *désespérée*. Nicolas me manquait, et j'avais peur qu'il ne meure. Et ça *m'énervait* que maman at-

---

sanatorium, hôpital où l'on soigne la tuberculose
de quoi acheter, ce qu'il faut pour acheter; l'argent nécessaire pour acheter
désespéré, qui a perdu tout espoir; malheureux
s'énerver, se mettre en colère

tende un autre bébé, il allait falloir s'en occuper encore une fois.

Les parents, eux, étaient contents. Quand on est sept, autant être huit, disaient-ils. Avec les Allocations Familiales, ils allaient pouvoir finir de payer la voiture qu'ils avaient achetée *à crédit*. Le nouveau rêve maintenant, c'était le *frigidaire*.

frigidaire

On eut une fille. Ils l'appelèrent Martine. Le bébé avait l'air normal, et je me dis qu'avec un peu de chance, d'ici dix ans, elle pourrait faire le travail à ma place.

Dès que ma mère rentra de l'hôpital, Chantal tomba malade. Elle dit qu'elle avait mal à la gorge depuis huit jours, et que je ne l'avais pas soignée. En effet, chaque fois que je lui demandais de m'aider, elle avait mal à la gorge.

En tout cas, ma mère avait eu raison de ne pas *s'en faire*. Les choses s'arrangent toujours. Le problème des lits se règle tout seul. Quand Nicolas revint du sanatorium, Catherine était aux *Arriérés*. Il avait fallu l'y mettre, l'école ne voulait

---

à crédit, en payant une somme tous les mois
s'en faire, se faire des soucis
Arriérés, institution pour les enfants qui sont mentalement en retard

pas la garder. Elle ne comprenait rien du tout et faisait *des tas* de bêtises qui troublaient les classes. En plus, ils s'étaient aperçus qu'elle était à moitié sourde, et on lui fit des examens. Le docteur nous dit qu'elle avait un âge mental de quatre ans, que ça nous coûterait trop cher de la soigner, qu'elle ne serait jamais capable de *gagner sa vie.* Il n'y avait qu'à la mettre tout simplement dans un bon *asile* où on n'aurait plus jamais à s'en occuper. Au suivant.

Il paraît que ce docteur-là, dans la matinée, avait envoyé quatre enfants comme ça à la *poubelle.*

Ils l'emmenèrent tous les deux, les parents, là-bas. Ils lui avaient caché où elle allait, mais Patrick *se fit une joie de* le lui annoncer au moment du départ. Arrachée aux meubles, la pauvre Catherine, *hurlante,* fut traînée à peu près sur le ventre, jusqu'à la voiture. On la poussa à l'intérieur. Elle essaya encore de sortir par la fenêtre. On remonta la vitre, et la voiture partit.

---

des tas, beaucoup
gagner sa vie, vivre de son travail
asile, ici : hôpital où l'on soigne les maladies mentales
poubelle, endroit où l'on jette les ordures
se faire une joie de, être très content de
hurler, crier de toutes ses forces

Questions

1. Quels sont les sentiments de Josyane à son retour à Paris?

2. Pourquoi est-elle séparée de Nicolas?

3. Pourquoi les parents envoient-ils Catherine aux Arriérés?

4. Quelles sont vos réactions en lisant ce paragraphe?

5. Pourquoi ces gens ont-ils tant d'enfants?

7

Le *printemps* arriva. L'été. Puis l'hiver.

J'avais eu mon *Certificat du premier coup*. Pas de chance! Je serais bien restée un an de plus à l'école.

A *l'orientation,* ils me demandèrent ce que je voulais faire dans la vie.

Dans la vie. Est-ce que je savais ce que je voulais faire, dans la vie?

– Alors? dit la femme.

– Je ne sais pas.

– Voyons : si tu avais le choix, supposons.

La femme était gentille, elle interrogeait avec douceur. Si j'avais le choix. Je levai les épaules. Je ne savais pas.

– Je ne sais pas.

– Tu ne t'es jamais posé la question?

Non. Je ne me l'étais pas posée. Du moins pas en supposant que ça demandait une réponse. De toute façon, ça ne valait pas la peine.

On m'a fait faire un *dessin.* J'ai dessiné un arbre.

– Tu aimes la campagne?

dessin

---

printemps, début de l'été

Certificat, ici : examen à la fin de l'école primaire (du premier degré)

du premier coup, la première fois

orientation, conseils donnés par un professeur à un élève concernant le genre de travail qui lui conviendra le mieux (=tests d'orientation)

Je dis que je ne savais pas, je croyais plutôt que non.

– Tu préfères la ville?

A vrai dire je crois que je ne préférais pas la ville non plus. La femme commençait à s'énerver. Elle me proposa tout un tas de métiers aussi ennuyeux les uns que les autres. Je ne pouvais pas choisir. Je ne voyais pas pourquoi il fallait se poser des problèmes d'avance pour choisir un travail, dans lequel on allait s'ennuyer à mourir.

– De toute façon, dit la mère qui était là, ça n'a pas d'importance si elle ne veut rien faire, car j'ai plus besoin d'elle à la maison que dehors. Surtout si on doit être deux de plus . . .

On croyait que c'était des jumeaux cette fois.

Tout de suite ce qui me manqua, c'était l'école. Pas telle-ment la classe en elle-même, mais le chemin pour y aller, et surtout, les devoirs du soir. J'aurais peut-être dû dire à l'orientation que j'aimais faire des devoirs, il existait peut-être un métier au monde où on fait ses devoirs toute sa vie. Quelque part, je ne sais pas. Quelque part.

Je me sentais *inoccupée*. Pourtant, j'avais du travail à faire à la maison toute la journée, mais je me sentais tout le temps inoccupée. Je cherchais ce que j'avais bien pu oublier, où, quand, quoi? . . . Je ne sais pas. Au lieu de me dépêcher pour en finir le plus vite possible, je traînais. Le soir, j'étais fatiguée, mes yeux se fermaient, il me semblait qu'il n'y avait pas assez de lumière, ou qu'il y en avait trop. Je ne sais pas. Et, une fois au lit, alors impossible de m'endormir. Je me met-tais à pleurer. C'était devenu une habitude. Je ne savais même pas à quoi penser.

---

inoccupé, sans travail

L'hiver passa. Le printemps revint. Le printemps, le printemps . . .

Questions

1. Les tests d'orientation auront-ils une importance dans la vie de Josyane?

2. Pourquoi regrette-t-elle l'école?

3. Pourquoi se sent-elle si malheureuse?

8

Les Italiens étaient à *Sarcelles.* Ils construisaient de nouvelles maisons. C'est une amie, Liliane Bourguin, qui me le dit. Sa sœur venait de se marier, ils avaient trouvé un appartement là-bas, il y en avait. Liliane y était allée. Elle avait entendu parler des ouvriers. Ils habitaient là pour la *durée* des travaux, dans des *baraquements.*

Ça me prit tout à coup. Un retour de mémoire. Et par de drôles de chemins. Ce qui s'était le plus effacé me revenait. Je ne me souvenais plus que de ça : le bois, et Guido. Je ne comprenais pas, comment j'avais bien pu oublier une chose pareille. Il fallait que je sois tombée sur la tête. Je me demandais pourquoi je m'étais inventé toutes ces histoires de Mars et de *mélancolies.* Guido était un homme, et ça suffisait. Un homme, beau, avec de belles dents. Je commençais à souffrir, et cette fois-ci je savais *au juste* ce que je regrettais.

Le problème, c'était donc comment aller là-bas retrouver Guido. Ce n'était pas du tout facile. C'était dans une autre *banlieue,* il fallait prendre l'autobus, puis le *métro.* Bref, il fallait tout un après-midi pour faire l'aller-retour. Je pourrais peut-être trouver des sous pour les tickets, mais le temps? Je

---

Sarcelles, grande cité moderne, près de Paris
durée, le temps que dure une chose, une action
baraquement, maison légère, le plus souvent en bois
mélancolie, tristesse vague
au juste, exactement
banlieue, ensemble des quartiers populaires qui entourent une
grande ville
métro, chemin de fer souterrain (sous la terre)

moto   roue

n'avais pas le temps. Je ne voyais pas comment le trouver. Toute la maison dépendait de moi.

Maintenant je ne pensais plus qu'à ça. Je voyais Guido comme si ça s'était passé la veille : Guido, avec ses dents blanches, et mon filet à la main plein de bouteilles. Et le scooter ce jour-là posé contre un arbre, et tout. Je voyais Guido briller comme une étoile au milieu des milliers d'ouvriers là-bas, et moi arrivant subitement et lui disant : «Me voilà, emmène-moi, je t'en prie!»

Je devais *à tout prix* y aller. Ce qu'il m'aurait fallu en réalité, c'était un scooter. Avec un scooter, j'y allais di-

---

à tout prix, coûte que coûte

rectement, je ne perdais pas de temps. D'abord, je pensai à en voler un au *parking,* mais avant il me fallait apprendre à m'en servir.

Je regardais les garçons qui se retrouvaient le soir après six heures à l'entrée de la Cité. Les uns avaient un vrai scooter, les autres une petite *moto.* Je les voyais se lancer sur l'avenue, à trois ou quatre, quelquefois avec des filles derrière. J'en mourais d'envie, je les *dévorais* des yeux. Ces idiots-là, naturellement, croyaient que c'était eux que j'admirais; ils faisaient des ronds autour de moi pour me faire voir comme ils étaient forts. Moi, je regardais les *roues* et leurs pieds pour voir comment ils les *manœuvraient.*

– Tu sais que tu plais à Didi, m'informa Liliane qui, ayant un an de plus que moi, savait de quoi elle parlait.

– Moi, je plais à quelqu'un?

– N'aie pas l'air naïve. Après tout, tu as une belle *gueule,* comme si tu ne le savais pas. Si seulement tu savais *t'arranger.*

Elle prenait mes cheveux et me *coiffa* à la «*star*».

– Tu vois.

Je ne pouvais pas voir, on était dans la cour et il n'y avait pas de glace.

– Tu n'as pas besoin de glace, idiote, tu n'as qu'à regarder les types qui passent.

Il y en avait un, en effet, qui se retournait en riant.

– *Je m'en fiche,* dis-je avec mépris. La seule chose qui m'intéresse, ce sont les scooters.

---

parking, endroit où l'on laisse les voitures
dévorer, manger très vite et beaucoup; ici : admirer vivement
manœuvrer, faire marcher une machine; ici : une moto
gueule, visage (pop.)
s'arranger, ici : prendre soin de soi-même
coiffer, voir illustration page 54
star, étoile; ici : étoile du cinéma
je m'en fiche, expression voulant dire : ça m'est égal

se coiffer

Cependant, je me coiffai comme me l'avait dit Liliane, de toute façon c'était un progrès. Ça ne me faisait pas du tout souffrir de constater que les types tournaient la tête quand je passais. Pourquoi *se priver* des petites joies de l'existence sous prétexte qu'on a une grande idée derrière la tête.

C'est comme ça que je me rapprochai des scooters finalement. Et quand je fus tout près, on ne fit pas de difficulté pour me laisser monter derrière. Je posai des questions sur la façon dont ça marche. J'eus la *réputation* de m'intéresser à la *mécanique,* ce qui, pour une fille, était rare.

Tout ce que je voulais, c'est qu'on m'apprenne à conduire. C'est avec Didi que j'avais le plus de chance d'y arriver, car je lui plaisais bien, ainsi que Liliane l'avait remarqué. Tout ce que j'espérais, c'est que j'arriverais à conduire avant que les maisons ne soient finies là-bas.

Le soir, on allait au cinéma. Les vieux me laissaient y aller,

---

se priver, se refuser qc d'agréable
réputation, opinion générale sur qn
mécanique, étude des machines et de la façon dont elles marchent

pourvu que j'aie terminé la vaisselle. Ils me donnaient même des sous pour y aller, pour ça ils étaient gentils. Le cinéma est une chose qu'ils comprenaient. Après tout, je n'avais plus de devoirs à faire le soir, il fallait bien que je m'occupe. J'adorais le cinéma, j'y serais bien allée tous les soirs, et tous les films me plaisaient. J'étais toujours assise à côté de Didi, et il me serrait un peu. Mais ça ne me gênait pas pour regarder le film. Au contraire, ça allait bien ensemble. Il passait sa main sous mon *pull-over,* que je portais directement sur la peau.

pull-over

– Jo n'a rien en dessous, dit Didi à l'*entracte* à ses copains.
– On peut voir? dit Joël en riant.
Mais Didi répondit :
– Je t'en prie.
Quand le noir revint, je sentis la main de Joël qui passait aussi sous mon pull-over. Les mains des garçons se touchèrent, ils se mirent à rire.
Dès ce soir-là, Joël me regarda. Il me regardait au pull-over. Joël avait dix-neuf ans. Après tout, c'était un progrès car, peu à peu, j'avançais vers Guido.

---

entracte, arrêt au milieu d'un spectacle

– Dimanche, on se retrouve tous, me dit Joël un jour. Si tu veux venir avec nous, tu n'as qu'à être à deux heures à l'entrée de la Cité.

Ce jour-là, j'appris à danser. On but même du vin. A un moment, Joël m'entraîna loin des autres, dehors, jusqu'à son scooter. Je montai derrière lui. Je savais ce qu'il voulait. Il s'arrêta dans un coin tranquille. J'hésitai quelques secondes, je n'essayais pas de résister, et puis *zut* . . . J'avais à peine eu le temps de penser à ce que je faisais que c'était dèjà terminé.

Bientôt, avec les autres, je ne fis pas de difficulté non plus. Maintenant, tout le monde me prêtait sa moto. Même seule, pour la journée entière. Finalement, j'y étais arrivée, et même plus vite que je n'espérais.

Questions

1. Pourquoi Josyane veut-elle aller à Sarcelles?

2. Quels sont les moyens qu'elle emploie pour trouver un scooter?

3. Que pensez-vous des rapports entre ces jeunes gens?

4. Pourquoi en est-il ainsi?

---

zut, expression voulant dire : tant pis

9

Mais Guido, maintenant, est-ce que je le reconnaîtrais? Il avait *passé tellement d'eau sous le pont* depuis. Tellement. Guido, Guido. J'appelais son nom pour voir si ça répondait. Je me souvenais de tout, bien sûr : ses dents, sa main quand il me tenait. Le bois, le scooter posé contre l'arbre. Et quand il avait parlé en italien. Ah, ça m'avait *marquée*. Pas les mots, bien sûr, mais le *son,* cette espèce de musique qui sortait de sa bouche et qui finalement disait mieux ce que ça voulait dire qu'une belle phrase claire.

J'étais sur la moto. Etre sur une moto, ça c'était quelque chose, là pas de doute. J'étais seule, j'étais libre, c'était un vrai plaisir. Rien que pour être sur une moto, ça valait la peine, même si je ne trouvais pas Guido.

Si je le trouvais, je lui dirais :

– Monte!

Et c'est moi qui l'enlèverais, comme un *chevalier* ou un cow-boy.

On arrive à Sarcelles par un pont, et tout à coup, un peu d'en haut, on voit tout. Oh là! Et je croyais que j'habitais dans des blocs! Ça, oui, c'étaient des blocs! Ça c'était de la Cité, de la vraie Cité de l'avenir! Sur des kilomètres et des kilomètres, des maisons, des maisons, des maisons. Pareilles. Côte à côte. Blanches. Et un ciel immense. Du soleil. Du soleil plein les maisons, passant à travers,

---

passer tellement d'eau sous le pont, se passer beaucoup de choses
marquer, ici : avoir beaucoup d'influence sur
son, ce que l'on entend
chevalier, homme noble du temps passé

ressortant de l'autre côté. Des *espaces verts* énormes, propres, *superbes*.

Les boutiques étaient toutes mises ensemble, au milieu de chaque bloc de maisons, de façon que toutes les femmes aient le même nombre de pas à faire pour aller acheter leurs spaghettis. Ça c'est de la justice! Ça c'est de l'architecture! Et ce que c'était beau! Je n'avais jamais vu autant de vitres. Personne ne pouvait se cacher. J'en étais *éblouie*. On voyait tout à l'intérieur en passant. Et, en plus, ma tête tournait, à force de prendre la première rue à droite, la première à gauche, la première à droite, la première à gauche. Maintenant, j'étais dans la rue Paul Valéry. C'était la seconde fois que je tombais dedans, je n'arrivais pas à en sortir. Où étaient les ouvriers, où était Guido? Même en supposant qu'il soit en ce moment en train de me chercher de son côté, Guido, on pouvait se promener cent ans sans jamais se croiser.

Je repartis dans l'autre sens, et j'arrivai à une *grille*. La *limite*. Il y avait donc une limite. Je sortis, et les chemins

grille

---

espace vert, jardin dans une ville
superbe, très beau
ébloui, qui a la vue troublée par une lumière trop forte; ici : qui se sent comme dans un beau rêve
limite, ligne qui indique la fin d'un terrain

devinrent sales, j'étais dans les *chantiers*. On ajoutait des maisons, par douzaines.

– C'est toi, Guido, qui fais ces maisons, toi qui es né sur les collines . . . me dis-je tout haut. Toi, Guido!

Un ouvrier m'avait entendue. Il me dit :

– Guido comment?

– Je ne sais pas.

– Eh, petite *ragazza,* qu'est-ce qu'il t'a fait ce Guido-là que les autres ne peuvent pas faire?

J'étais là, en plein soleil devant tous ces hommes. Il y avait trop de lumière. Les types riaient. Il y avait des Italiens, des Arabes, des Espagnols. Il faisait trop clair, trop clair. Je me sentais complètement nue. Je cherchais de l'ombre, un coin noir où me cacher, j'avais la *panique,* une panique folle. Je ne savais plus où j'avais laissé le scooter.

Enfin, je le retrouvai, près d'une pelouse. Que c'était beau. Vert et blanc. On sentait l'organisation. Ils avaient tout fait pour qu'on soit bien.

Le matin, tous les hommes sortaient des maisons et partaient travailler à Paris. Un peu plus tard, c'étaient les enfants qui s'en allaient à l'école. Les maisons *se vidaient,* il ne restait dans la Cité que les femmes, les vieux et les *invalides*. Le soir, tous les maris revenaient, rentraient dans les maisons, trouvaient le dîner prêt, l'appartement propre, la douce chaleur, mon Dieu, c'était la *perfection*. Dieu est un pur esprit infiniment parfait, je comprenais enfin.

---

chantier, terrain où des ouvriers construisent des maisons
ragazza, fille (en italien)
panique, peur soudaine et violente
se vider, devenir vide
invalide, malade qui ne peut pas travailler
perfection, état de ce qui est parfait ou très bien réussi

Sur le pont en partant, je m'arrêtai encore. Je me retournai vers la Cité. On dit qu'il ne faut pas se retourner quand on quitte une ville, mais je ne pouvais plus me décider à partir, je ne me fatiguais pas de regarder. Les fenêtres commençaient à s'allumer. Que ça pouvait être beau! Sarcelles, c'était Dieu, ici on pouvait commencer à croire qu'il avait créé le monde.

En rentrant, notre Cité me parut pauvre, *en retard sur* son temps. Une vraie *antiquité*. Même les blocs en face n'avaient l'air de rien. Douze misérables *baraques* sur un petit terrain.

Je me sentais *à l'étroit,* je manquais presque d'air. J'étais si malheureuse que je pleurais. Si on veut rester content il ne faut pas voir le monde.

Je rencontrai Ethel. J'essayai de lui expliquer.

– C'est comme Dieu.

– Voyons, dit-elle, pourquoi aller chercher Dieu, les hommes ça suffit pour construire.

Et, elle continua, en riant :

– Je ne comprends pas ce qui te rend triste : si c'est beau comme tu dis.

– Oui, c'est beau.

– Alors, qu'est-ce que tu veux?

– Je ne sais pas ce que je veux.

---

en retard sur, resté en arrière de
antiquité, chose ancienne
baraque, maison modeste (ici : pop.)
à l'étroit, dans un espace trop petit

Questions

1. Quelle est l'impression que l'on sent devant Sarcelles?

2. Connaissez-vous, dans votre pays, des Cités de ce genre?

3. Que pensez-vous de ces grandes Cités?

4. En aimez-vous l'architecture?

5. Aimeriez-vous y vivre?

6. Pourquoi Josyane trouve-t-elle cette Cité belle?

7. Pourquoi pleure-t-elle donc? Trouvez-vous cette réaction normale?

10

Si, à cette époque, on avait regardé dans mon cœur, on aurait trouvé un sentiment caché : pour Frédéric Lefranc, le frère d'Ethel. Il n'était pas comme les autres. Il était plus sérieux, plus *réfléchi*. Mais justement à cause de cela, il ne se mêlait pas à nous. Il avait autre chose à faire dans la vie. C'était ce qui m'attirait, cet «autre chose» : quelle chance il avait ce Frédéric! Et comment faisait-il? Mais en même temps que ça m'attirait, ça le mettait à des kilomètres de moi, qui n'avais rien. Auprès de lui j'étais *muette*. Ce que j'aurais pu dire, n'aurait été pour lui que des *sottises*.

Avec Ethel, c'était plus facile de parler, on était allée en classe ensemble, et ça nous rapprochait. Je crois qu'Ethel regrettait pour moi que je n'aie pas continué mes études. C'était comme quelqu'un qu'on est obligé de laisser sur la route parce qu'il est trop faible, et on ne peut rien pour lui. On se retourne, on a honte de sa propre force. Ethel aurait voulu m'aider, me prêter des livres, mais ça aurait servi à quoi? De toute façon, j'avais perdu l'habitude de réfléchir maintenant, c'était trop tard.

Je lui dis qu'à l'orientation on avait cherché ce que je pouvais faire, mais on n'avait rien trouvé. Elle me dit que c'est parce qu'on ne m'avait proposé que des métiers en rapport avec la *condition* de mes parents. J'étais obligée de gagner tout de suite ma vie.

Le fait de discuter de ces choses-là avec Ethel, me rendait triste. Un soir, pour me consoler, elle m'emmena dîner chez

---

réfléchi (adj.), qui pense avant de parler ou d'agir
muet, qui ne peut pas parler
sottise, parole ou action qui manque d'intelligence
condition, ici : situation sociale

eux. L'idée de voir Frédéric me rendit tout de suite *gaie* comme un *pinson*.

Son petit frère avait fait une *crème* pour le dîner. J'étais surprise de voir que, chez les Lefranc, c'étaient les deux garçons les plus jeunes, Jeannot et Marc, qui s'occupaient de la cuisine. Ils faisaient même la vaisselle, et ils avaient l'air de trouver ça naturel, en plus. Je dis que chez nous, ça ne se passait pas comme ça, on n'avait même pas l'idée de le leur demander.

– Mais pourquoi pas? Ils ont bien deux mains? dit Mme Lefranc.

Je lui dis qu'une fois ma mère avait essayé de demander de l'aide à Patrick, et que celui-ci lui avait répondu avec des mots que je n'oserais pas répéter :

– Papa dit que ce n'est pas mon travail!

Ensuite, on discuta de Sarcelles. Je racontai mon voyage.

– Dix mille appartements, tous avec l'eau chaude et une salle de bains! c'est quelque chose! disait Ethel.

– Oui, dit M. Lefranc.

– Oui, dit après lui Frédéric.

– Vous n'avez pas l'air enthousiaste, dit Ethel.

– Si, dit le père.

– Si, si, dit le fils. C'est très bien, quoi.

– Bien sûr que c'est très bien! dit Ethel. Il y a encore des gens qui sont entassés à six dans une chambre avec un *réchaud* pour faire la cuisine, j'en connais.

– Même toi, tu as vécu comme ça, lui dit son père. Mais tu ne peux pas te le rappeler, tu n'avais que six mois, quand on a *déménagé*.

---

gai, de bonne humeur
pinson, petit oiseau jaune qui chante toujours
crème, ici : dessert fait de lait, d'œufs et de sucre
déménager, aller habiter une autre maison

réchaud

– Nous, on a d'abord habité dans le XIIIe, dis-je. Il y avait des *rats*. Je me souviens que j'avais peur.

– Moi, je suis née dans un *sous-sol*, dit Mme Lefranc. Je crois bien que je n'ai pas vu le soleil avant l'âge d'aller à l'école. Ma mère a eu quatorze enfants, il lui en reste quatre. Dans ce temps-là, nourrir sa famille c'était un vrai problème pour un homme. Il fallait se battre pour trouver du travail.

rat

– Eh bien? dit Ethel. Les gens sont tout de même plus heureux maintenant, non?

– Euh, dit Frédéric, plus heureux . . .

Puis, il ajouta avec force :

– Le confort, ce n'est pas le bonheur.

– Moi, tout ça m'est égal, dit Jeannot : comment est ma crème? Vous allez la *bouffer* sans vous en apercevoir.

C'était vrai et c'aurait été dommage. Sa crème était *formidable*.

– Surtout pour un garçon, dis-je.

---

sous-sol, partie d'une maison, située au-dessous du niveau du sol
bouffer, manger (pop.)
formidable, très réussi

Et la discussion se termina. J'avais passé une soirée extraordinaire, dont je me souvins longtemps.

Je n'ai pas revu Frédéric. Il partit au *service militaire*. Et il fut tué.

Questions

1. Pourquoi Josyane aime-t-elle Frédéric?

2. Quelle est la différence entre la famille d'Ethel et celle de Josyane?

3. Que pensez-vous de la phrase de Frédéric: «Le confort n'est pas le bonheur»?

---

service militaire, le temps où chacun doit être soldat

11

Une autre année passa, et un jour j'allai, avec mon père, chercher ma mère à l'hôpital, où elle venait d'avoir des jumelles. En rentrant, on passa par la *loge des gardiens,* c'était l'habitude quand un nouvel enfant arrivait à la maison.

C'étaient de vraies *miniatures* ces petites filles, je n'en avais jamais vu de si petites, et je dois dire assez *mignonnes.* C'étaient des jumelles *identiques,* ce qui voulait dire qu'elles se ressembleraient toute leur vie.

J'en avais une dans les bras, le père avait l'autre. Maman était vite montée se coucher.

– Et laquelle est Caroline et laquelle Isabelle? demanda la femme du gardien.

Papa et moi, on se regarda. On ne savait plus. On avait oublié, et comment savoir maintenant. Cela fit rire tout le monde. Le gardien nous offrit un verre de Martini pour fêter ça. Ils aimaient bien voir la Cité *s'agrandir,* tout ça c'était un peu à eux.

Devant les *boîtes à lettres,* il y avait un jeune homme blond, que je n'avais jamais vu. Il était tourné vers moi, et me regardait, la bouche ouverte. C'était Philippe. Mais je ne le savais pas.

L'été finissait. Patrick s'était fait arrêter par la police pour la première fois : il avait volé une voiture. C'était à prévoir

---

loge des gardiens, boîte à lettres, voir illustration page 68 et 69
miniature, qc de toute petite dimension
mignon, joli (surtout en parlant d'une fille)
identique, tout à fait pareil
s'agrandir, devenir plus grand

loge des gardiens

depuis longtemps, par tout le monde, on le lui avait assez répété dès son plus jeune âge, qu'il finirait mal.

Nicolas était pressé de grandir, et il mangeait beaucoup de soupe, parce qu'il avait entendu dire que ça faisait grandir.

– Tu verras, me disait-il, plus tard dans la vie, je veux être un grand *assassin*. Je tuerai mon père, je tuerai ma mère, je tuerai mon frère. Je ne tuerai pas ma sœur Jo, je l'aimerai fort, je l'attacherai avec des *cordes* pour qu'elle n'aille pas avec les garçons.

Moi, je restais des heures entières devant la fenêtre à regarder tomber la pluie et les gens entrer et sortir de la

assassin, celui qui tue un homme

boîte à lettres

Cité. J'étais vide, je ne voulais plus voir personne, je n'avais plus le cœur blessé comme avant. J'arrivais dans une espèce d'*impasse* de ma vie. Je devenais morte. C'est ça devenir une grande personne.

corde

---

impasse, petite rue où l'on ne peut pénétrer que par un côté; ici : situation d'où l'on ne peut pas sortir

Questions

1. Comment Josyane rencontre-t-elle Philippe?

2. Pourquoi Patrick finit-il mal?

3. Pourquoi Nicolas veut-il devenir un «dur»?

4. Pourquoi Josyane a-t-elle l'impression de mourir lentement?

12

Philippe. Mon amour. C'est peu à peu qu'on se mit à s'aimer. Ou plutôt, en réalité, on s'était aimé dès le premier instant, comme on s'en rendit compte après. On se souvenait parfaitement, tous les deux, de ce jour-là, devant les boîtes à lettres, lui l'air *ahuri*, moi avec les jumelles. Les gardiens. Le père. Le Martini. Et, si le *coup de foudre* n'avait pas éclaté immédiatement, c'était à cause d'un *malentendu* très bête : me voyant là avec des *nouveau-nés*, rentrant de l'hôpital, accompagnée d'un homme, Philippe avait cru, bien sûr, que les bébés étaient à moi. Je me souvenais de la façon dont il m'avait regardée, et qui tout de même m'avait paru bizarre. C'est parce qu'il pensait : «Une fille si jeune, avec un homme si vieux, et déjà des jumeaux!»

– Et tu étais belle! dit-il. Tu ne peux pas savoir comme tu étais belle, avec ce bébé dans les bras, si petit, comme toi. Qu'est-ce que tu veux, ça paraissait logique qu'à ton âge tu aies des bébés en miniature!

Mais, au fond de lui-même, il pensait :

– Quel dommage que ce ne soit pas moi, à la place de ce vieux!

Il avait été jaloux du père! Ce n'est pas *croyable*. Et moi, qui ne savais rien de tout ça! Résultat, tout un hiver perdu, où chaque fois qu'il me croisait, il me faisait un geste discret et *respectueux* voulant dire «Bonjour Madame». Et moi,

---

ahuri, fortement surpris
coup de foudre, ici : le fait de s'aimer la première fois qu'on se voit
malentendu, parole ou action mal comprise
nouveau-né, enfant qui vient de naître
croyable, que l'on croit ou imagine facilement
respectueux, qui marque du respect

pendant ce temps-là, je le trouvais *timide* et ridicule ce garçon, et je continuais ma triste vie sans *me douter* que le bonheur était juste sous mon nez. Jusqu'au jour, où il eut le courage de me demander comment allaient mes bébés si charmants, Caroline et Isabelle. Il avait même retenu les noms. Caroline et Isabelle allaient bien, et Philippe alla encore mieux quand il comprit que c'étaient mes sœurs. Il n'arrivait pas à y croire, il me demandait si j'en étais bien sûre, il me le fit répéter quatre fois. Et, alors là, il ne perdit pas une seconde pour m'inviter au cinéma, et pour le soir même. Et moi, je n'hésitai pas plus à *laisser tomber* tous les copains.

Donc, le soir on alla au cinéma, et il me prit la main. En revenant, devant ma porte, il me dit qu'il m'aimait.

– Je t'aime, me dit-il.

Et, aussitôt, il s'en alla en courant.

J'avais failli dire «Quoi?», parce qu'il avait parlé si bas que je n'étais pas sûre d'avoir bien entendu, mais il était déjà parti. Il habitait le *bâtiment* F, moi le C. Pendant une heure il m'avait embrassée devant ma porte. Il me disait au revoir, et pour me dire au revoir, il m'embrassait encore, il me serrait contre lui, il me disait «Je t'aime», et, ensuite, il partit, me laissant là sur le *seuil*. Il n'était vraiment pas comme les autres.

On avait rendez-vous le dimanche suivant. Je laissai encore tomber les copains.

Ce dimanche-là, il m'attendait devant la grille avec une *2 CV*. Il venait de l'acheter, *d'occasion* et à crédit, pour me

---

timide, qui n'est pas sûr de lui
se douter, imaginer; supposer
laisser tomber, abandonner soudainement
bâtiment, ici : une des maisons de la Cité
seuil, partie qui se situe juste devant la porte
2 CV, petite voiture française, qui ne coûte pas cher
d'occasion, se dit d'un objet qui n'est pas neuf

sortir. Ça voulait dire qu'il avait l'intention de me sortir un certain nombre de fois, sinon il ne se serait pas mis dans de tels frais.

Pourquoi, avec Philippe, rien que de marcher l'un près de l'autre, main dans la main, c'était quelque chose de merveilleux? Pourquoi lui? Et lui se demandait «Pourquoi elle?» On n'arrivait pas à y croire, ni l'un ni l'autre, que ce soit justement nous.

Ce qui était extraordinaire, c'est qu'on ait réussi à se rencontrer. Penser qu'on habitait justement dans le même endroit, quand des endroits il y en a tant. L'Amérique, par exemple. Même sans aller si loin, il aurait pu être à Sarcelles, et, alors là, on ne se serait jamais rencontré. J'aurais ignoré. même son existence, et lui la mienne. Rien que l'idée d'une pareille catastrophe nous faisait peur : qu'on ait pu ne jamais se connaître, continuer à vivre chacun de son côté comme des *idiots,* car c'était bien comme des idiots qu'on avait vécu tous les deux jusqu'à maintenant, pas la peine de se le cacher. Et, d'ailleurs, on l'avait toujours senti dans le fond de nous-mêmes, sans savoir que ce qui nous manquait à chacun, c'était l'autre. C'est pour ça que j'étais si souvent triste, que je pleurais sans raison, que je tournais en rond sans savoir quoi faire de moi, regardant les maisons, me demandant pourquoi çi pourquoi ça. C'est pour ça que j'allais avec des tas de garçons, rien que pour passer le temps en attendant le seul qui existait sur la terre pour moi, et qui maintenant était là près de moi, sa main dans la mienne.

Pour lui, c'était la même chose, j'étais la seule qui existait sur terre, celle qu'il avait attendue de son côté. Dans le fond, la vie est bien faite, quand on y pense, tout arrive qui doit arriver. Désormais, on savait pourquoi le soleil brillait, c'était

---

idiot, ici : qn qui mène une existence stupide

pour nous, et c'était pour nous aussi que le printemps commençait, justement aujourd'hui, quand on faisait notre première promenade ensemble, la première sortie de notre amour.

Il s'arrêtait et me disait :

– Ecoute, un oiseau!

C'était notre oiseau. C'était notre soleil. Notre arbre en fleur, notre *brin de muguet,* encore rien qu'une pointe verte à peine visible, mais on la vit. La première du monde. A nous pour toujours. Ah!

brin de muguet

On marchait, dans la forêt encore presque nue, la main dans la main. On n'était pas pressé, on avait tout le temps. Le temps aussi était à nous, puisqu'on avait l'*éternité* devant nous. Tout nous appartenait. C'est fou. Tous les trois pas, on s'arrêtait pour se regarder.

– Jo . . .

– Philippe . . .

Nos regards, nos noms, ça aurait suffi à notre bonheur. Presque suffi, si on avait pu, si on avait eu la force. J'aurais tant voulu que cela suffise, qu'on reste toujours ainsi, les yeux dans les yeux, c'était tellement plus beau si seulement c'était possible. Mais le corps est exigeant, nous voulions

---

éternité, durée qui n'a ni début ni fin

nous toucher, et quand nous nous touchions, nous voulions nous embrasser, et on ne tenait plus debout, nos jambes ne voulaient plus nous porter. Et la terre nous accueillit comme un grand *lit de noces*. Il était temps on n'en pouvait plus . . .

— Jo . . .

— Philippe . . .

Avant de remonter dans la voiture, il m'attira à lui, et prit mon visage entre ses deux mains.

— Ma chérie. Tu es à moi?

— Oui.

— Pour toujours?

— Philippe, mon amour.

— Jo, ma chérie. Comme on va être heureux!

— Heureux?

— Tu as du mal à y croire, hein, ma pauvre chérie? Tu n'as pas eu une bien bonne vie. Hein? mon pauvre petit amour. Mais c'est fini maintenant, c'est fini. Je suis là, ne sois pas triste, je suis là, tu verras, je suis là maintenant. Rien ne t'arrivera plus.

---

lit de noces, lit où l'on passe la première nuit après le mariage

Questions

1. Quel est le caractère de Philippe?

2. Pourquoi, au début, n'ose-t-il pas parler à Josyane?

3. Quel est l'événement qui arrive dans la vie de Josyane?

4. L'amour de Josyane et Philippe vous paraît-il sincère?

5. En quoi Philippe est-il différent des autres garçons?

6. Lorsque Philippe dit à Josyane : «Comme on va être heureux!» pourquoi répète-t-elle : «Heureux?»

13

Il avait vingt-deux ans. Il était *vendeur* de télévisions. Il venait d'entrer dans une grosse compagnie. Il gagnerait bien sa vie. Ils étaient cinq enfants, l'*aînée* des filles était mariée, la *cadette* travaillait comme secrétaire, les deux derniers pourraient bientôt se débrouiller tout seuls. La mère était morte. Il n'aurait pas beaucoup de *charges*. Il habitait encore avec eux, mais il avait fait une demande d'appartement.

Il avait fini son service militaire, il était revenu l'*automne* dernier, c'est pourquoi je ne l'avais pas vu avant. Il n'en parlait jamais, de là-bas. Il ne voulait pas en parler. Il ne voulait plus y penser, plus jamais. Ni à ça ni au reste de sa vie passée. A rien de tout ça. Seulement à être heureux et c'est tout. La seule chose qu'on ait à faire dans la vie, c'est d'être heureux. Il faut s'aimer, être deux qui vivent l'un pour l'autre, sans s'occuper du reste. Se faire un *nid* où cacher son bonheur, et le protéger contre toute *attaque*.

Quand je lui dis que j'attendais un bébé, il me souleva et me fit tourner en l'air comme un fou.

– Depuis le jour, où je t'ai vue avec un bébé dans les bras, j'en ai envie, criait-il. Tu ne peux pas savoir! J'ai envie de te faire un enfant depuis ce jour-là!

---

vendeur, personne dont le métier est de vendre qc
aîné, le plus âgé
cadet, l'enfant le plus jeune
charges (pl.), dépenses que l'on est obligé de supporter
automne, saison qui suit l'été
nid, sorte de petite maison que les oiseaux construisent dans les arbres; ici : fig.
attaque, action d'attaquer; coups

Il n'attendait que ça, dit-il, pour qu'on se marie. Et vite maintenant. Ce n'était pas pour le principe, il s'en fichait, mais il voulait que je sois encore toute fine quand je sortirais de la *mairie,* avec lui à mon bras. Toute belle, dans la belle robe qu'il allait m'acheter. Pas blanche, bien sûr, d'ailleurs ça n'avait pas d'importance ces choses-là, mais une belle robe, ce que je n'avais jamais eu. Il voulait une belle image de ce jour-là pour la garder dans son cœur.

On achèterait un berceau, un vrai, avec un joli *tissu* bleu. Non, rose, parce qu'il préférait une petite fille. En effet, une fille, c'est plus pratique.

Le problème c'était de *se loger,* et à toute vitesse. Il faudrait *activer* sa demande d'appartement, on pourrait chercher aussi nous-mêmes. Sa compagnie lui prêterait sûrement de l'argent pour acheter à crédit. Et avec les Allocations Familiales, on pourrait payer sans trop de difficulté. Il y avait des endroits, où il était possible de trouver des appartements en ce moment. Je lui indiquai Sarcelles.

---

mairie, maison où se trouvent les bureaux d'administration d'une ville ou d'un village
tissu, matière qui sert à faire des vêtements; étoffe
se loger, trouver un endroit pour habiter
activer, rendre plus rapide

Questions

1. Pourquoi Josyane propose-t-elle Sarcelles?

2. Que pensez-vous de la fin du roman?

3. Philippe et Josyane peuvent-ils être heureux?

4. Comment voyez-vous la vie future de Philippe et Josyane?

Questions générales

1. Avez-vous aimé le personnage de Josyane?

2. Qu'est-ce qui vous a paru le plus difficile à supporter dans la jeunesse de Josyane?

3. Comment jugez-vous les parents?

4. Avez-vous aimé ce roman?

5. Ce livre paraît-il moral?

6. Quel est le style de Christiane Rochefort?

7. A quel auteur de votre pays pourriez-vous la comparer?